D0795241

www.loqueleo.com/es

Título original: THE CAT WHO GOT CARRIED AWAY
Publicado por el acuerdo con Walker Books Limited, London, SE 115HJ.
© 2003, Allan Ahlberg
© 2003, Katharine McEwen
© De la traducción: 2005, Carlos Abio y Mercedes Villegas
© De esta edición:
   2017, Santillana Infantil y Juvenil, S. L.
   Avenida de los Artesanos, 6. 28760 Tres Cantos (Madrid)
   Teléfono: 91 744 90 60

ISBN: 978-84-9122-014-5
Depósito legal: M-37.543-2015
Printed in Spain - Impreso en España

Segunda edición: marzo de 2017
Más de 10 ediciones publicadas en Santillana

Directora de la colección:
Maite Malagón
Editora ejecutiva:
Yolanda Caja
Dirección de arte:
José Crespo y Rosa Marín
Proyecto gráfico:
Marisol del Burgo, Rubén Chumillas, Julia Ortega y Álvaro Recuenco

El gato que desapareció misteriosamente

Allan Ahlberg

Ilustraciones de Katharine McEwen

DE NUEVO...

...¡LOS GASKITT!

¡Puff!

¡Puff!

Gus y Gloria
tienen que correr
un montón.

6

Pero hay una buena
razón, ¿eh?

El señor Gaskitt
dedica la mayor parte
del tiempo a pasar
la aspiradora.

HISTORIA DE LOS GASKITT

La señora Gaskitt casi no sale de la cama.

¿Por qué?

Y Horacio... —¡pobre Horacio!— termina en una tienda de animales.

¿5 €? ¡Soy una ganga!

5 €

También aparecen:

Un ratón que se llama **Ramón**.

Una cobaya que se llama **Marisa**.

Una maestra que se llama **señorita Pestiño** (que se cae a menudo).

Sin mencionar una misteriosa banda de... bueno, luego lo contamos.

¡QUE EMPIECE LA HISTORIA!

7

1

El cochecito ladrador

8   Un día por la tarde los Gaskitt estaban en casa sentados todos juntos en la cama de los padres. Todos menos la señora Gaskitt: ella estaba acostada.

¿Y por qué? Solo son las siete y media.

Bueno, estaban bebiendo té, comiendo galletas y mirando el álbum de fotos familiar.

Había una foto de Gus y Gloria de
bebés, una foto de Horacio de cuando era
un gatito y una foto del señor y la señora
Gaskitt... bailando.

—En nuestra luna de miel —dijo la
señora Gaskitt.

—¿Y nosotros?
¿Ya habíamos nacido?
—preguntaron los chicos.

—Todavía no —dijo la señora Gaskitt—. La casa era solo para nosotros dos.

—Sí —sonrió el señor Gaskitt—. Era maravilloso (Gloria le empujó).

Quiero decir... aburrido (y Gus le dio con la almohada).

¡Aburrid
¡Aburrid
¡Aburrid

Mientras tanto, Horacio estaba fuera sentado en el muro del jardín viendo pasar la vida.

Vio a un chico en una bici, a un chico en un patinete, a una mujer en un coche

y, finalmente, en la acera de enfrente, a un hombre que pasaba zumbando empujando un carrito muy viejo.

Pero lo que llamaba la atención,
y Horacio se dio cuenta,
lo que llamaba la atención
era que el cochecito...

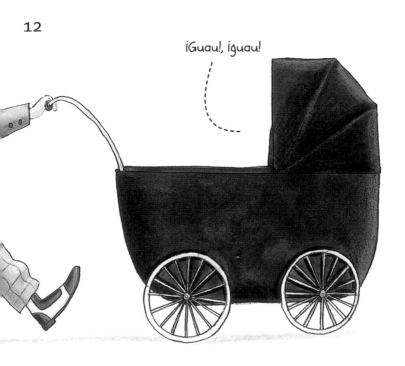

... ladraba.

2

Huevo frito y piña

A la mañana siguiente todos se levantaron.

13

Gus y Gloria se levantaron
y fueron al colegio.

El señor Gaskitt
se levantó y fue
a comprar.

La señora Gaskitt se levantó,
cogió el periódico, cogió el correo, se
preparó una taza de té y un pastel de
crema, y se volvió a meter en la cama.

¡Caramba!

Mientras tanto, Horacio estaba otra
vez en el muro del jardín esperando ver y
oír ese cochecito misterioso.

Bueno, en aquel momento Horacio no vio el cochecito, pero el señor Gaskitt sí.

Estaba en el coche, en el cruce del colegio, y pasó por allí, igual que antes, empujado por el mismo hombre que iba zumbando. Pero ahora no ladraba, eso no.

Era más como… «un chillido», pensó el señor Gaskitt.

Cuando Gus y Gloria llegaron al colegio se encontraron con que algo terrible había sucedido. Ramón, el inteligente y cariñoso Ramón, el ratón de la clase, había... ¡desaparecido!

¡Ah, sí!, y la señorita
Pestiño, mientras intentaba
encontrarlo, se había caído
por la ventana.

Los chicos estaban muy disgustados,
por supuesto.

—¡Pobre Ramón! —se lamentaban.

—¡Pobre Ramón!

—¡Pobre Ramón!

¡Ah, sí!, y pobre
señorita Pestiño.

A esa misma hora
el señor Gaskitt estaba
en el supermercado
llenando el carrito.

Horacio había ido a visitar a un amigo
que parecía haber salido.

La señora Gaskitt
también había salido...
de la cama.

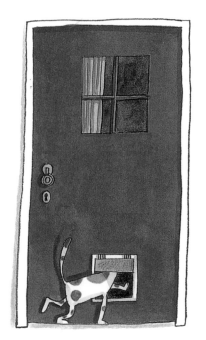

¡Hurra!

Estaba en el piso de abajo, en la sala de estar, viendo la tele, con una taza de chocolate caliente

y un sándwich de huevo frito y...

... sí, un sándwich de huevo frito y piña.

¿Piña?

Mientras tanto, en algún lugar no muy lejano, el cochecito ese seguía...

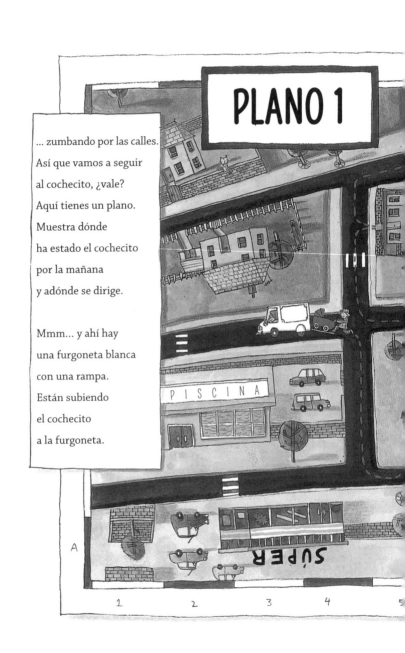

PLANO 1

... zumbando por las calles.
Así que vamos a seguir
al cochecito, ¿vale?
Aquí tienes un plano.
Muestra dónde
ha estado el cochecito
por la mañana
y adónde se dirige.

Mmm... y ahí hay
una furgoneta blanca
con una rampa.
Están subiendo
el cochecito
a la furgoneta.

PISCINA

SÚPER

A

1   2   3   4   5

CLAVE:

- - - - RUTA DEL COCHECITO

N

SCHOOL

¡Ajá!
¿Qué pasa aquí?
¡Mira!
Ahí está Horacio
otra vez en el muro,
en el exterior de la casa
de su amigo.
Horacio es un gato listo.
Bueno, Horacio piensa
que lo es. Cree que
si se queda sentado
ahí durante un buen
rato, su amigo va
a aparecer...
o que algo
interesante
puede ocurrir.
Puede ser que sí.

3

Te presentamos al señor Enérgico

22   De vuelta en la escuela,
Gus y Gloria y los otros
chicos estaban en la clase
hablando sobre Ramón

—¡Pobre Ramón!
—¡Pobre Ramón!

y esperando al maestro
sustituto. (La señorita
Pestiño se había ido a
casa en un taxi, llena
de heridas y arañazos).

De repente, ¡pum!, se abrió
la puerta de la clase,
las ventanas retumbaron,
el suelo tembló...
y allí estaba.

Muy alto.
Muy ancho.
Con una enorme bolsa
grande y pesada.

Y se llamaba

¡SEÑOR ENÉRGICO!

El señor Enérgico
era profesor de Educación Física,
un mamut en plena forma.
Había estado en el ejército
y en la armada.
Era un hombre de pocas
palabras...   25
y le encantaba correr.

El director, el señor Pillo,
le estrechó la mano
al señor Enérgico...

¡ayy!

... Y se arrepintió
de haberlo hecho.

El señor Enérgico dijo:

—¡Buenos días, chavales!

Y las ventanas volvieron a retumbar.

Y luego comenzó la clase.

Durante toda la mañana el señor Enérgico enseñó a leer, a escribir y a correr. Sobre todo a correr.

Hicieron carreras de obstáculos en la clase, carreras de relevos en los pasillos y vueltas... y vueltas...

¡Y vueltas!

al campo de deportes.

A la hora del almuerzo,
Gus y Gloria
y los demás
habían olvidado
a Ramón,
y resoplaban
y jadeaban
e incluso dormían...
en el césped.

27

Mientras tanto,
¿dónde está Horacio?
Estaba en ese muro
la última vez
que lo vimos,
¿verdad?

Pero ya no está ahí.

También mientras tanto,
¿dónde está el cochecito?
Bueno, todavía
sigue zumbando...
¡mira!

Por la calle,
tuerce una esquina,
sube la rampa...
y se mete en la furgoneta.

Ese cochecito parece
un poco raro, ¿no?
Vamos a verlo más
de cerca.

Vamos a ver
qué tipo de bebé
lleva dentro.

Vamos a ver,
más cerca,
más cerca...

¡Oh, no...!

¡Miau!

¡Pero si es Horacio!

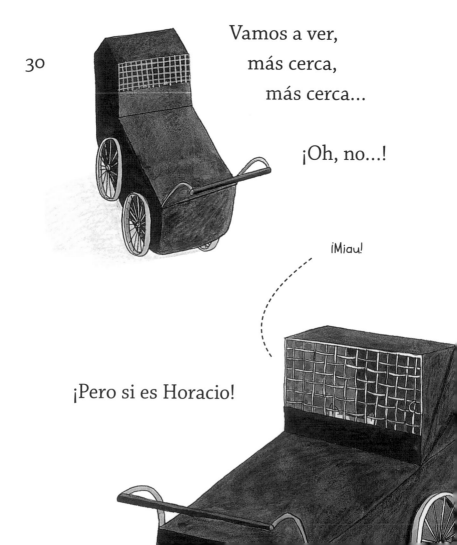

4

¿Ha visto a este hámster?

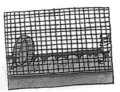

A las dos en punto de la tarde
la intranquilidad se extendía
por toda la ciudad.
Faltaban gatos
y faltaban perros,
hámsteres, cobayas...

... ¡y peces de colores!
¡Y también periquitos!

   Incluso (bueno,
en este momento todavía
no, pero poco faltaba),
incluso pingüinos.

Sí, los pobres dueños se paseaban
calle arriba y calle abajo
silbando y llamándolos:

—¡Toma, Toby!

—¡Toma, Benito!

—¡Toma, Tartita!

Algunos
pusieron carteles,

**¿HA VISTO
A ESTE
HÁMSTER?**

Otros llamaron
a la policía.

En el colegio
los niños no
sabían nada
de esto. Lo único
que les preocupaba
era Ramón.

—¡Pobre Ramón!

En lo único que pensaban era en sus doloridos pies. Durante la clase de lectura, el señor Enérgico les hizo levantar libros pesados.

En la de ciencias les hizo elevar... ¡a sus compañeros!

Y en la de música, y en la de dibujo,

y en la de hogar...
les hizo correr.

Cuando llegaron a casa, Gus
y Gloria se sentaron en la cama
con su madre y le contaron todo
lo que habían hecho.

—¡Es terrible, mamá!

—¡Todavía me tiemblan las piernas!

—¡Estamos tirados!

—Vaya, vaya —dijo la señora Gaskitt.
O más bien: «Ffya, ffya», ya que en ese
momento se estaba comiendo
un sándwich. Sí, uno de piña
y huevo frito otra vez.

También, como puedes ver,
volvía a estar en la cama.
Y todavía no eran ni las cinco.

¿Por qué?

Mientras tanto, en la planta de abajo,
el señor Gaskitt preparaba la merienda,
planchaba la ropa
y escuchaba la radio.

«¡EL MISTERIO DE LOS ANIMALES DESAPARECIDOS!»,

chillaba la radio.

«¡PERROS Y GATOS SE ESFUMAN EN EL AIRE!».

«¡LA POLICÍA, SIN PISTAS!».

El señor Gaskitt
dobló una camiseta
y la puso en el
montón. Miró en
el horno y abrió la
puerta de la cocina.

El señor Gaskitt
se quedó mirando un
buen rato el jardín
y se frotó la barbilla.

—¿Dónde
está Horacio?

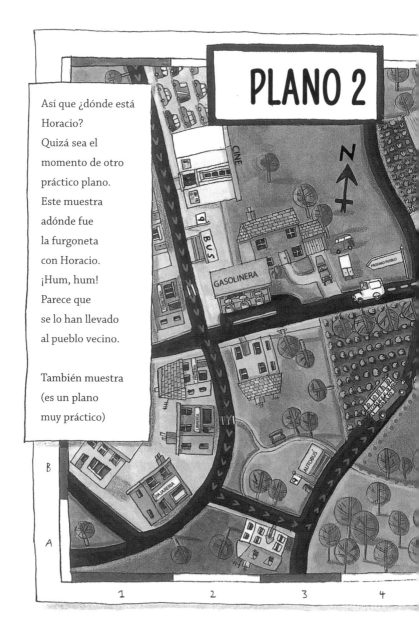

PLANO 2

Así que ¿dónde está Horacio?
Quizá sea el momento de otro práctico plano.
Este muestra adónde fue la furgoneta con Horacio.
¡Hum, hum!
Parece que se lo han llevado al pueblo vecino.

También muestra (es un plano muy práctico)

CINE

BUS

GASOLINERA

PROXIMO PUEBLO

LIBRERIA

AUTOBÚS

PAJARERIA

B

A

1   2   3   4

CLAVE:
RUTA FURGONETA
RUTA AUTOBÚS
RUTA CARRERA

HOSPITAL

AUTOBÚS 9

por dónde va
el autobús
número 9.
Eso puede
ser útil.
Y también
dónde,
mañana por
la mañana
temprano
(¡y va a llover!),
Gus y Gloria
y todos los
demás alumnos
pueden estar.
Si el señor Enérgico
lo consigue,
pueden estar...
corriendo.

6   7   8   9

5

Juan el Honesto

42 Esa noche Gus y Gloria no pudieron pegar ojo. Lo único en lo que podían pensar era:

¡Pobre Horacio!

Habían recorrido todas las calles, habían llamado a las puertas y habían buscado por todos los sitios... pero no habían podido encontrarlo.

El señor y la señora Gaskitt
—mira, ¡ha salido de la cama!—
han conducido por toda
la ciudad y no han podido
encontrarlo.

Mientras tanto, en el pueblo vecino...,
en la trastienda de una pajarería,
un montón de animales tristes
ladraban, maullaban, piaban
y hacían otros ruidos
con la esperanza
de que los
soltaran.

En el piso superior de la pajarería,
Juan el Honesto
jugaba a las cartas
con su honesta madre
y su honesto tío Gil.

¿Pajarería? ¿Pajarería?
¿Qué pasa aquí?
¿Y quién es Juan el Honesto?

Bien, Juan el Honesto
(ya es hora de que lo sepas)
cree que es una especie
de «recogemascotas». Él rescata
animales, o eso dice, que están
perdidos o abandonados
y les busca hogares nuevos
y acogedores.

Le ayudan en ese trabajo
su madre y su tío.

Normalmente viajan
de pueblo en pueblo,
abren una tienda por
un tiempo, ganan
un poco de dinero,
juegan un poco
a las cartas…
y siguen viajando.
Juan el Honesto
no pretende
hacer daño.
No haría daño
ni a una mariposa,
o eso dice él,
ni a un hámster…
ni a un gato.

45

Lo peor que podría hacerles
es llevarlos a una tienda
—¡oh, no! ¡Pobre Horacio!—
y venderlos.

Evasión en la granja

Eran las seis y media
de la mañana.
Horacio estaba sentado
en la ventana de la pajarería
de Juan el Honesto viendo
pasar la vida.

Horacio era un gato inteligente.
Bueno, eso era lo que Horacio creía.
Ahora estaba pensando,
y había estado pensando,
desde que Juan el Honesto
lo atrapó, en cómo escapar.

Mientras tanto, en la ventana
cercana a Horacio... ¡estaba Ramón!
Él también estaba pensando
en cómo escapar.

—Necesitamos un plan —dijo
Horacio—. Tal vez podríamos
cavar un túnel o conseguir
un cortacristales.

—Hum... —Ramón no decía nada,
pero se frotaba la pequeña barbilla.

Ramón, como puedes ver,
sí que era inteligente.
Después de todo,
vivía en una escuela.
Ramón era muy culto.

RATÓN
2E

Horacio tenía mucha imaginación.

—¡Puede ser fantástico!
—gritó—. ¡Como en la película
Evasión en la granja! Podemos ser
famosos,
salir en la tele,
¡yuju!

Y dijo (o mejor, gritó):
—¡Podríamos hacer una escalera
con cuerdas! ¡Podríamos
disfrazarnos!

—No —dijo Ramón, que
estaba observando la enorme
jaula en la que se encontraban—.
Tengo una idea mejor.
Despierta a la cobaya.

50   La cobaya se llamaba
Marisa... y no estaba durmiendo,
solo estaba harta.
    —Es imposible —gruñó—.
Nunca saldremos de aquí.
    —Ya verás como sí —dijo
Ramón.
    —Súbete en la espalda
de Horacio.
    —¿Para qué? —preguntó
Marisa, pero lo hizo.

Y entonces, ¡fíjate bien!,
Ramón, el inteligente Ramón,
se sube en la espalda de Marisa
(bueno, en realidad en su cabeza).

RATÓN
2E

Y
se estira

y
se estira

y
se estira...

hasta el pestillo...
de la puerta...
de la jaula.

7

Otra vez el cochecito

Entonces la acción se acelera.   53
Entonces todo va más rápido.
Entonces... bueno, ya entiendes, ¿no?

De todas formas,
aquí tienes el HORARIO:

6.45

Horacio, Marisa y Ramón
salen de puntillas (¡shh!)
por la ventana de la tienda.

7.30

Juan el Honesto, la señora
Gaskitt, la señorita Pestiño
y el señor Enérgico
desayunan. Cada uno en un
lugar diferente, por supuesto.

8.15

La madre de Juan el Hon
carga el cochecito en la
furgoneta y sale
con ella y el
honesto tío
Gil.

A la misma hora, Horacio
Marisa y Ramón
se escurren por la
puerta abierta y corren
por la calle.

8.55

Gus, Gloria y los otros
niños se cambian de ropa
para la carrera por las
calles.

nienza a llover.

co minutos más tarde,

eñorita Pestiño se

lve a caer

¡Pobre señorita Pestiño!

ropezar con una alfombra

ndo iba al baño.

15

ío Gil saca

1 «bebé»

a dar un

eíto por el zoo.

utobús número 9,

entras tanto, sale de

alle Pez... con ocho

nutos de retraso.

9.30

La señora Gaskitt se sienta
en la cama. Su cara tiene
una expresión rara. ¿Lo ves?
Como si estuviera feliz
y triste al mismo tiempo.

 ¿Por qué?

9.45

El señor Enérgico
y su clase
ya han salido
a correr.

A la misma hora, en una
callejuela detrás del zoo
(mira, aquí llega),
otra vez el cochecito
con el honesto tío Gil...
zumbando.

8

¡Qué listo es Ramón!

56 Horacio, Marisa y Ramón
se escondían tras un contenedor de
basura junto a una parada de autobús.
Ramón estaba pensativo.
Marisa estaba abatida.
Y Horacio... tenía mucha imaginación.

—¡Es como en esa película...!
—gritó—. *De regreso a casa: una aventura
increíble*, en la que los animales
recorren miles y miles de kilómetros
para regresar a su hogar.

—¿Uno de ellos era una cobaya?
—preguntó Marisa.
—No lo recuerdo —dijo Horacio—.
De todas formas,
podríamos hacer lo mismo.
Escondernos en un granero,
por la noche,
guiarnos por las estrellas...
correr aventuras.

Pero Ramón
solo tosió y se frotó
la pequeña barbilla.
—No —dijo—.
Tengo una
idea mejor.

PERDIDO

Mientras tanto, en el exterior del zoo
el honesto tío Gil iba zumbando
con un cochecito lleno de pingüinos.
Sí, ¡pingüinos!
Se suponía que iba por loros
pero el tío Gil

siempre quiso
un pingüino.
O dos.
U ocho.

De cualquier manera,
allí estaba, zumbando, cuando, de
repente, se encontró atado a un árbol
a un adormilado perrito lleno de
manchas.

—¡Todavía queda una plaza!
—gritó el tío Gil.
Y tomó al perrito y
lo estaba metiendo
con los pingüinos
cuando…

... doblando la esquina,
llegaban Gloria y Gus y
Tracey y Billy y otros cuantos.

¡Vaya, vaya!

También al mismo tiempo,
el señor y la señora Gaskitt
pasaban con el coche. Vieron
a Gus y a Gloria y los saludaron
con la mano... pero no podían
detenerse. El señor Gaskitt
llevaba a la señora
Gaskitt (¡oh, no!)
al hospital.

¿Qué ocurre?
¿Se encuentra mal?
No parece
que esté mala.

Al mismo
tiempo, también,
el autobús número 9 estaba...
Bueno, las cosas se están
complicando demasiado,
¿no crees?

Tal vez nos
vendría bien un...

PLANO 3

... un plano más.

Mira: ahí está
el cochecito
con la furgoneta
aparcada en la esquina.

Ahí están Gus y
Gloria y los otros
chicos y también
el señor Enérgico.

Ahí están el señor y la
señora Gaskitt en el coche.

Ahí está el autobús
número 9.

Y ahí,
¿puedes verlo?,
en la parte
superior del autobús,
en el asiento delantero,
uno junto al otro,
contentos, a salvo
y compartiendo
una bolsa de patatas
fritas que se han
encontrado...

... ahí están Horacio,
y Marisa
y...
Ramón,
el listo.

9

Correr como el viento

Pero ¿qué ocurrió
después?,
te preguntarás.
Humm…
bueno,
vamos
a ver.

El tío
Gil salió
zumbando
con el
cochecito
ladrando
(el perrito
ya estaba
completamente
despierto).

recorri
la call
subió la ramp
se metió en l
furgoneta.
y se fu

Como un
cohete,
dobló
la esquina,

Y tras él
venían Gus
y Gloria
y Billy
y Tracey.
Y Margarita
y María
y Tom
y Rupert
y Buster
y Pili
y Esmeralda
y el señor
Enérgico...
y otros cuantos.

Y comenzó
la carrera,
¿la carrera...?
¿Una carrera entre
una furgoneta
y unos niños? Sí,
y estuvo más ajustada
de lo que crees. ¿Ves?,
los chicos eran jóvenes,
fuertes y corrían como
el viento. El señor Enérgico
estaba orgulloso de ellos.

Por su parte, la furgoneta era robada,
vieja y no había pasado la ITV.

Así que gracias a los semáforos,
los pasos de peatones y a otras cosas,
Gus y Gloria
y los demás
pudieron seguirla...
por una calle
y por otra,
por una cuesta
y por el puente...,
todo el camino,
hasta el pueblo vecino.

PETSHOP

Hasta la casa de Juan el Honesto.

Mientras tanto,
Juan el Honesto
estaba trabajando
y hablaba
con un cliente.

De repente
irrumpieron
su honesta madre,
su honesto tío,
un perrito enfadado
que ladraba,
cuatro o cinco
pingüinos
(—¡Pingüinos! —gritó
Juan—. ¿Dónde están
los loros?) y una clase entera
de sudorosos y valientes...

... ¡NIÑOS!

Sin olvidarnos
del señor Enérgico.

Entonces comenzó
la batalla.

Bueno, no fue
una gran batalla.

La madre de Juan
el Honesto
trató de escaquearse,
pero se tropezó
con un pingüino
y varias niñas
se sentaron encima.

Y también el pingüino.

Juan el Honesto
golpeó
al señor Enérgico
en la barriga

¡Ayyy!

y deseó
no haberlo hecho.

El honesto tío Gil
se dio cuenta
de cómo estaban
las cosas, movió
los hombros
y se rindió.

Mientras tanto, en el hospital,
la señora Gaskitt volvía
a estar en la cama.

Una médica escuchaba
su barriga con un estetoscopio.

Hum, ¿qué ocurre?

Vamos a escuchar,
¿vale?
Shh...

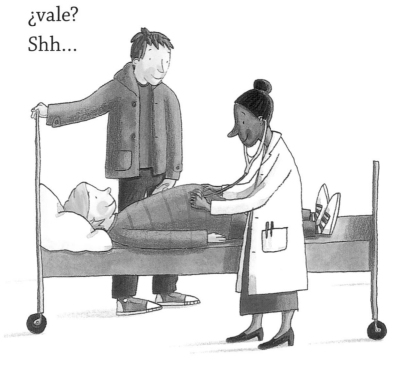

—¿Dónde estoy?

—¿Qué pasa?

—Aquí dentro está muy oscuro.

—Me apetece un pastel.

—¡Ah, esto se mueve!

—Parece que hay luz...

—¿Dónde? ¿Dónde...? ¡Buaaah!

A la una y media de la tarde
de un miércoles
de septiembre,
la señora Gaskitt
(y también el señor Gaskitt)
tuvieron un bebé.

El pequeño Gary Gaskitt:
Pelo castaño.
Ojos azules.
3 kilos 250 gramos.

10

El horario final

Entonces el ritmo se hace más lento.
Las cosas se empiezan a aclarar.
Entonces... bueno, ya entiendes.

De todas formas,
aquí tienes el último
HORARIO:

1.30

Nace el pequeño Gary Gaskitt.

1.45

Llega la policía (pero no al hospital, ¿eh?) y mete a Juan el Honesto y a su banda en una furgoneta.

La policía está contenta. Han capturado a unos peligrosos delincuentes... y han recuperado a su perra.

¡Hola, Tartita!

2.15

Mientras tanto, Gus y Gloria y los otros chicos están tristes. Han rescatado a muchos animales, pero ¿dónde está Horacio? ¿Dónde está Ramón? ¿Y dónde (si supieran quién es) está Marisa?

2.40

Los chicos regresan... al colegio.

¡Hurra!

¡Hurra!

¡Hur

¡Allí están!

4.00

En la comisaría, Juan
el Honesto y su madre
juegan un poco a las cartas...

y ganan
un poco de dinero.

5.30

La señorita Pestiño ve la tele
y ya está pensando
en regresar al colegio.

El señor Enérgico sale
a echar una carrerita
con su novia.

Al mismo tiempo,
el señor Gaskitt
lleva a Gus, a Gloria
y a Horacio
al hospital...

para vivir un final feliz.

¡Y un comienzo feliz!

11

Mientras tanto...

76 Una semana más tarde,
los Gaskitt (los cinco)
estaban todos sentados
en el sofá.

Todos menos el pequeño
Gary, que estaba en su
cunita.

Vale, estaban bebiendo café, comiendo pastel y pegando las fotos de Gary en el álbum familiar.

Había una foto de Gary
con una hora,

una foto de Gary
con un día,

una foto de Gary
con dos días,

etcétera.

Mientras tanto, el pequeño Gary está tumbado en su cuna viendo pasar la vida.

Gary Gaskitt es un niño muy inteligente. (Bueno, eso es lo que piensa la señora Gaskitt). Ahora mismo está pensando que si se queda ahí tumbado durante bastante tiempo, algo...

¡Ahh!

... algo interesante puede ocurrir.

Seguro que tiene razón.

¡Adiós!